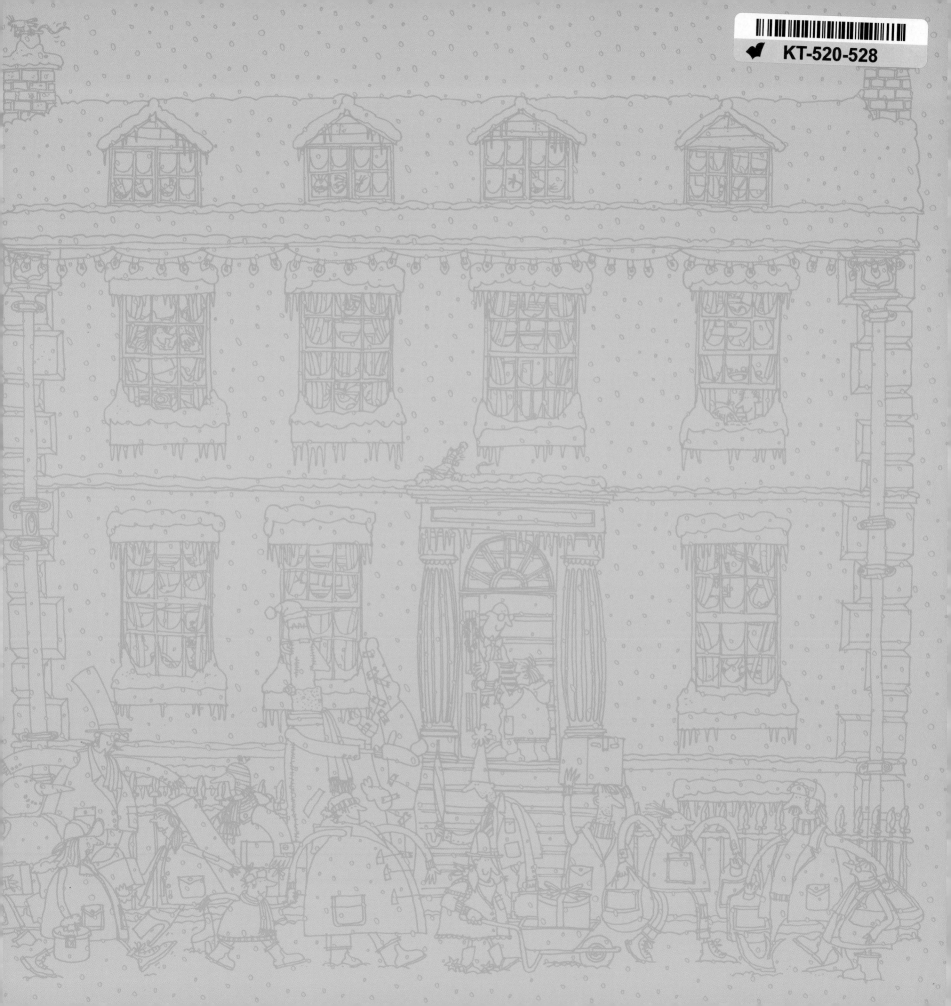

Per a Issy, Ed, Theo, Ruby, Grace i Tom

El Pare Noel vol donar les gràcies als follets Higgins, Hawkley, Smith i Snow Jr. del Departament de Color, per haver treballat amb uns ordinadors antics i tronats. El Pare Noel no els n'ha pogut comprar uns de nous i moderns perquè s'ha gastat tots els diners en els regals dels nens i nenes.

BLUME

Títol original:
How Santa really works

Disseny:
Polly Kanevsky

Traducció:
Lluïsa Moreno Llort

Coordinació de l'edició en llengua catalana:
Cristina Rodríguez Fischer

Primera edició en llengua catalana, setembre de 2008

© 2008 Art Blume, S.L.
Av. Mare de Déu de Lorda, 20
08034 Barcelona
Tel. 93 205 40 00   Fax 93 205 14 41
e-mail: info@blume.net
© 2004 Atheneum Books for Young Readers (Simon & Schuster), Nova York
© 2004 Alan Snow

I.S.B.N.: 978-84-9801-297-2

Imprès a la Xina

CONSULTEU EL CATÀLEG DE PUBLICACIONS ON LINE
WWW.BLUME.NET

Com treballa el Pare Noel?

Com treballa el Pare Noel?

BLUME

Alan Snow

T'has fet mai preguntes sobre el Pare Noel?

On viu?

Com sap el que vols?

Com se les manega per fabricar i repartir tots els regals?

I com sap si t'has portat bé?

Et podries fer un bon grapat de preguntes sobre el Pare Noel. Aquest llibre té el propòsit d'explicar-te tot el que cal saber del Pare Noel i les seves operacions d'àmbit internacional. Començarem per...

On viu el Pare Noel?

El Pare Noel (o Santa Claus, com també se'l coneix) viu sota el pol nord. Viu en una caseta molt acollidora que està situada sota la neu i el glaç. Cada matí, així que es desperta, es lleva d'un salt, es banya, es vesteix, esmorza i a continuació baixa al soterrani per posar fil a l'agulla.

On treballa el Pare Noel?

Al soterrani de casa té tot el que li cal per fer realitat el Nadal. Hi ha fàbriques, magatzems, instal·lacions de transport, un centre de comunicacions i altres departaments que són del tot imprescindibles. Aquest llibre descriu tots aquests departaments i explica què s'hi fa i com funcionen.

Qui ajuda el Pare Noel?

El Pare Noel té molts ajudants. La majoria són follets. Els follets viuen arreu del món, però quan es fan grans, molts aconsegueixen treballar amb el Pare Noel i es traslladen a viure al pol nord. Cada any es recluten més follets. Els nous follets han de cursar una extensa formació abans de començar a treballar. Per això s'han de matricular a l'ENF,* l'escola on ho aprenen tot sobre el Nadal. Primer els follets assisteixen a una classe de coneixements generals que es diu «Nadal 101». A continuació trien un dels diversos cursos que ofereix l'escola. Aquests cursos els ensenyen com han de realitzar una feina determinada en un dels departaments.

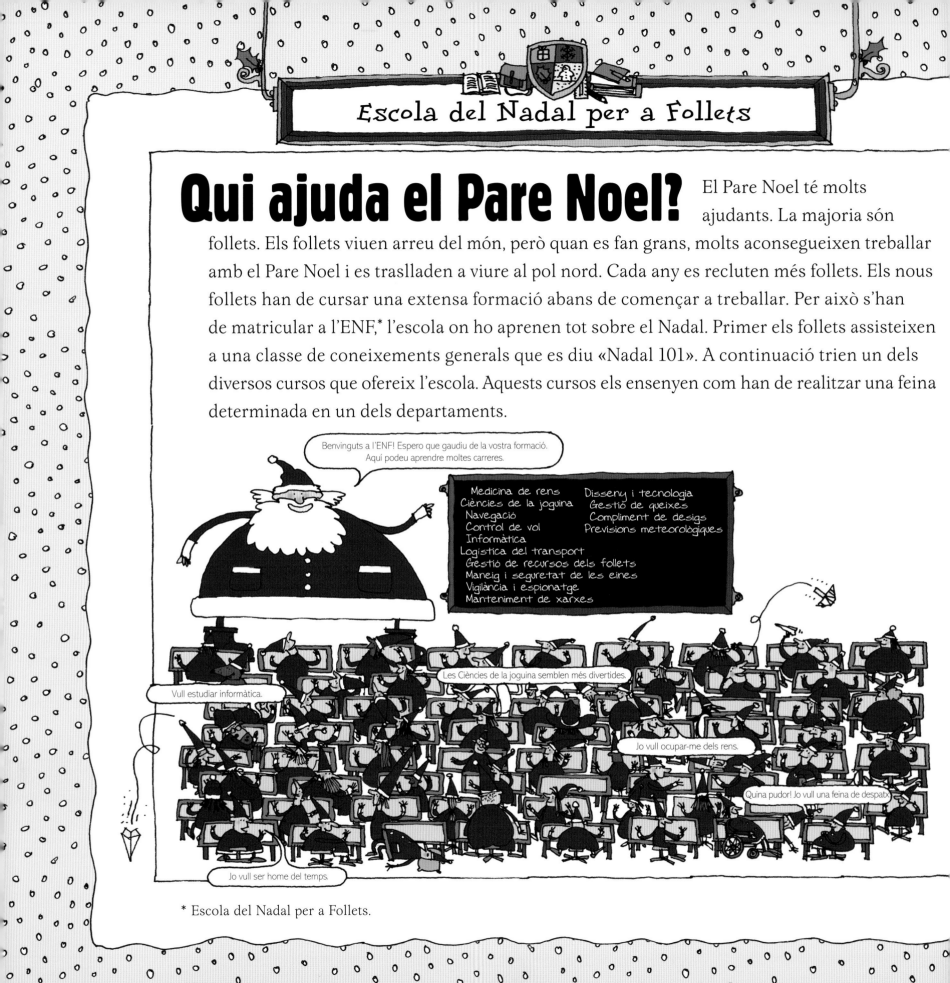

* Escola del Nadal per a Follets.

Com sap el Pare Noel el que vols?

Uns mesos abans del Nadal, els nens i nenes escriuen al Pare Noel per fer-li saber quins regals volen. És una idea genial perquè, si no sap què vols, ho haurà d'endevinar. Tot i que el Pare Noel és un gran endeví, val la pena enviar-li una carta.

Estimat Pare Noel, vull un pastís de xocolata, unes quantes madalenes, un pot de gelea de nabius, vuit rajoles de xocolata... Podries portar-me un submarí de debò? Ja sé que és la cinquena vegada que demano el mateix, però és que no m'agraden gaire els mitjons. Una bici blava seria fantàstica, però si no pot ser, m'agradaria que em regalessin una cria d'hipopòtam. Salutacions, Eduard

Estimat Pare Noel, vull un caiman, un camió carregat de pastissos fins dalt i quinze ulleres de sol noves.
Una abraçada, Joan

Estimat Pare Noel, si us plau, podries portar-me un cervell nou per poder entendre les matemàtiques? Si no pot ser, pots dur-me un kart de carreres i pinzells? Gràcies! Zaca

Estimat Pare Noel, pots portar-me un joc de química perillós i un conjunt de roba resistent al foc? Salutacions, Mònica

Estimat Pare Noel, et demano que llegeixis la llista adjunta. No puc esperar fins al Nadal, o sigui que fes el favor d'enviar-me els regals ara mateix. Espero rebre'ls demà. Cordialment, Isabel

Estimat Pare Noel, m'he portat molt bé. Em pots dur tants parells de mitjons com puguis? Diuen que hi ha moltes persones a qui no els agraden els mitjons. Em podries enviar els seus, també? Em posaré molt content, ja que en tinc una col·lecció gegant i sempre miro de trobar mitjons nous encara més interessants.
Salutacions, Bruno

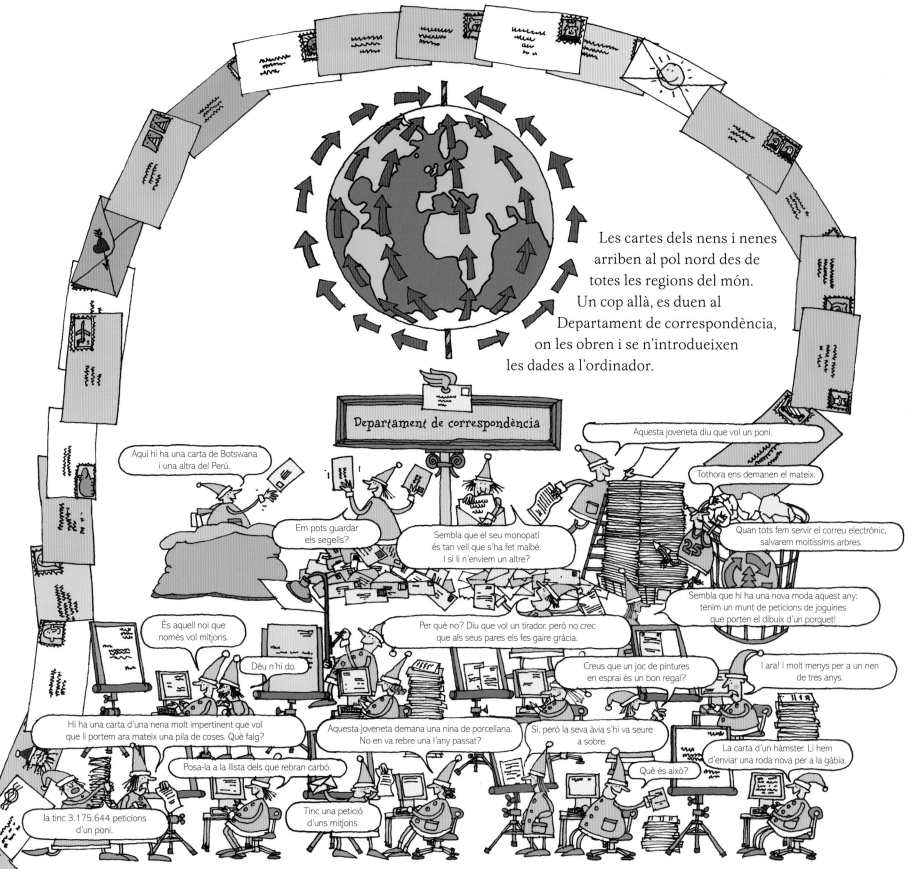

Les cartes dels nens i nenes arriben al pol nord des de totes les regions del món. Un cop allà, es duen al Departament de correspondència, on les obren i se n'introdueixen les dades a l'ordinador.

Les peticions s'introdueixen a l'ordinador juntament amb l'adreça del nen o nena, i aquest arxiu ajuda a organitzar la producció i el repartiment de les joguines. Tot dependrà, és clar, que els nens i nenes es portin bé!

Com sap el Pare Noel que m'he portat bé?

Això ho investiga l'AIN, que és l'Agència d'intel·ligència nadalenca. Arreu del món, un esquadró de follets de primera categoria recopila dades sobre tots els nens i nenes. A continuació les transmet a la delegació que l'AIN té al pol nord. Els follets no només esbrinen si els nens i nenes es porten bé, sinó que a més faciliten al Pare Noel informació perquè pugui endevinar què els agradaria que els regalessin als infants que no li han escrit.

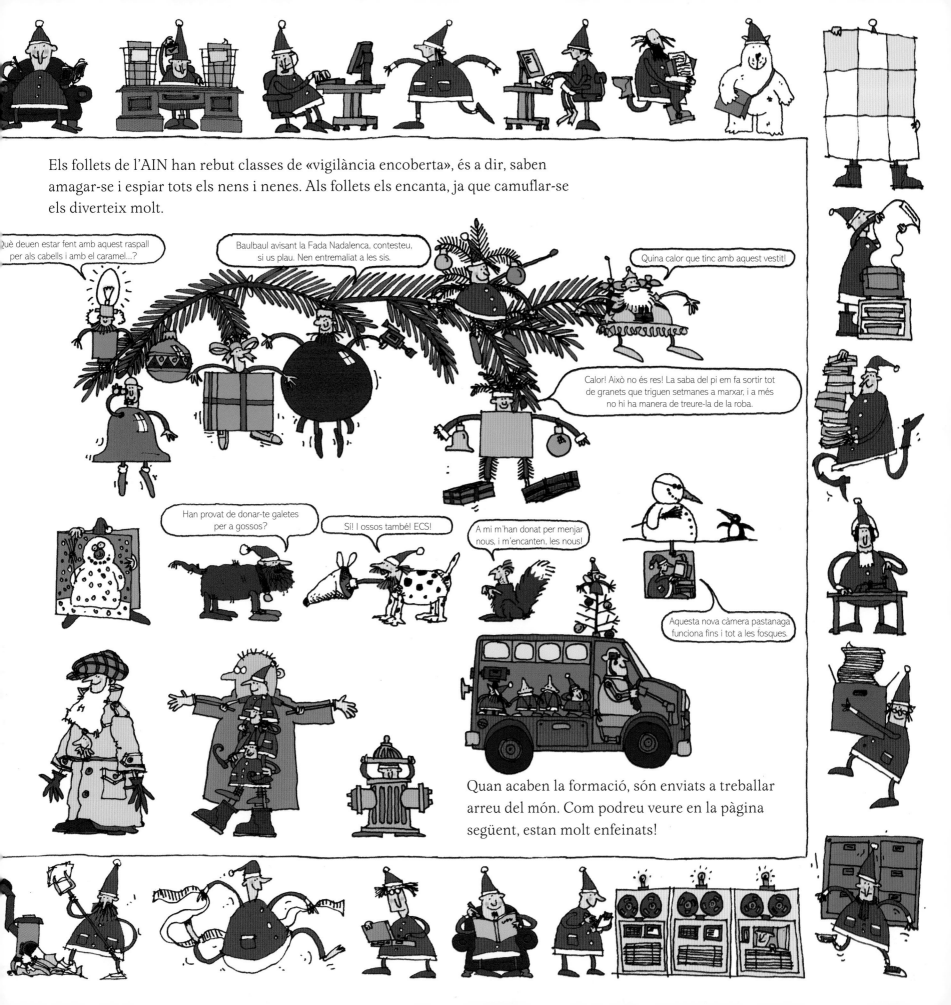

Els follets de l'AIN han rebut classes de «vigilància encoberta», és a dir, saben amagar-se i espiar tots els nens i nenes. Als follets els encanta, ja que camuflar-se els diverteix molt.

Quan acaben la formació, són enviats a treballar arreu del món. Com podreu veure en la pàgina següent, estan molt enfeinats!

D'on vénen totes les joguines?

Totes les joguines que rebeu del Pare Noel vénen del seu Departament de joguines, que es divideix en dues seccions principals. La primera és la de Recerca i desenvolupament. És on s'inventen les joguines. Moltes joguines s'han creat a partir d'idees que han enviat els nens i nenes. La resta les inventen íntegrament aquí. Des de la idea original fins a la joguina acabada, pot passar molt de temps, fins i tot anys!

Podríem fabricar-lo de fusta, i si el pintéssim d'un blau lluminós tindria un aspecte genial i es veuria a la nit.

Penso que hauries d'afegir-li rodes.

Reunions creatives

La secció de Recerca i desenvolupament està dividida en quatre subseccions. La primera és la de Reunions creatives. Els follets es reuneixen amb el Pare Noel per rumiar noves idees, que després discuteixen i elaboren. També estudien les idees que els nens i nenes els han enviat.

Si el fabriquéssim de caramel, se'l podrien menjar després de jugar-hi.

I si li posés plomes?

I si el fabriquéssim injectat en motlle, podríem menjar-nos-en tots els bocins que degotessin per les juntes.

Disseny

La segona subsecció és la de Disseny, on els follets desenvolupen les idees fins a transformar-les en joguines. Han de conèixer tots els materials i processos de fabricació que hi ha, i els gustos dels nens i nenes. També han de saber dibuixar.

Creació de prototips

Els plans i les instruccions per a les joguines noves s'envien a continuació a la subsecció de Creació de prototips. És on es fabrica la primera joguina d'un disseny nou. Els follets enginyers han de tenir moltes aptituds. Han de saber cosir, crear maquetes, pintar i fer motllos; han de tenir coneixements d'enginyeria i ser hàbils en l'electrònica, entre moltes altres coses. Són uns autèntics artesans.

Assaigs

Quan una nova joguina està acabada, s'envia a la subsecció d'Assaigs. S'hi proven tots els prototips de joguines per comprovar-ne la seguretat i la fiabilitat, i si són divertides. Si passen tots aquests assaigs, aleshores es començarà a produir-les, és a dir, començaran a manufacturar-les a la fàbrica. Si fallen en algun dels assaigs, es retornen a la subsecció de Disseny per millorar-les. Si fallen en tots els assaigs, se'n reciclen les peces i se'n llencen els plans.

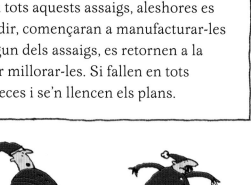

On es fabriquen totes les joguines?

La segona secció del Departament de joguines és probablement la part més important del món que envolta el Pare Noel. És la Fàbrica de joguines, o departament de Producció. Funciona les vint-i-quatre hores del dia els set dies de la setmana. Els follets treballen en torns de vuit hores. És un lloc de treball amè i agradable, ja que els follets saben que els nens i nenes es posaran molt contents quan rebin els regals. Conversen i canten, i de vegades un dels follets llegeix històries als altres per uns altaveus.

Què és un bat d'escuma grillat?

Ens fan falta 36.000 ossets de peluix més, si us plau!

Pots enviar algú a dalt a buscar més caps?

Aguanta'm això fins que hagi acabat.

Emmagatzematge

On es guarden totes les joguines?

Sota el gel, a molta profunditat, hi ha una cova gegant on s'emmagatzemen totes les joguines. És un indret màgic, on muntanyes de joguines ocupen una superfície de quilòmetres i quilòmetres quadrats. Totes les joguines que ha repartit el Pare Noel han estat emmagatzemades en algun moment en aquesta cova. Segons els darrers càlculs, hi han passat més de 976.592.331.684.078 joguines.

Pots dir-me on he de posar els submarins de corda?

Sí, van allí, amb les barquetes.

Si camines durant aproximadament mitja hora en aquesta direcció, veuràs una muntanyeta daurada al lluny. Són els ossets de peluix. Trigaràs mitja hora més a arribar-hi.

On poso això?

No fràgil

Abans que les joguines surtin del departament d'Emmagatzematge, s'embolcallen
amb cura i s'etiqueten. En acabat es transporten al departament de Trameses.

Qui organitza tots els regals?

A mesura que s'acosta el Nadal, arriba el moment de preparar les joguines per enviar-les. D'això se n'encarrega el departament de Trameses. L'ordinador central envia les comandes, s'imprimeixen i són sol·licitades pel cap de trameses a través d'un micròfon connectat al departament d'Emmagatzematge. Un cop rebuda la comanda, aquest departament porta les joguines demanades.

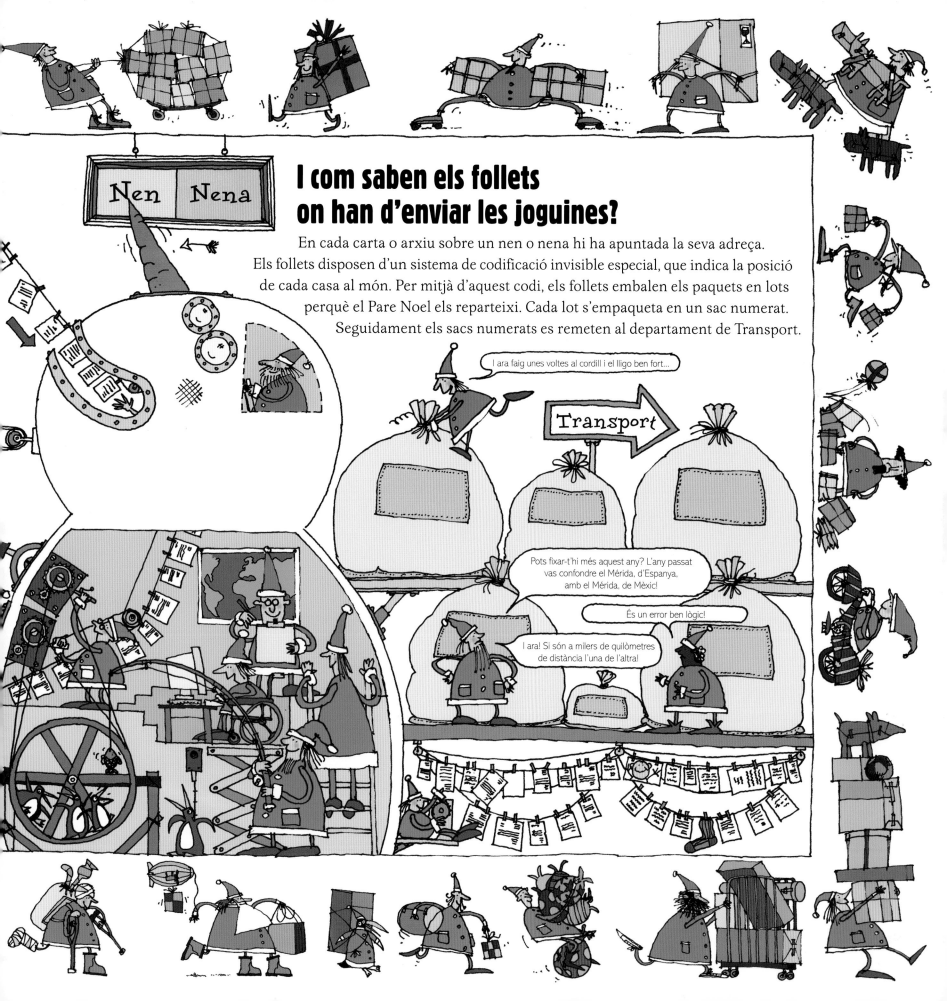

I com saben els follets on han d'enviar les joguines?

En cada carta o arxiu sobre un nen o nena hi ha apuntada la seva adreça. Els follets disposen d'un sistema de codificació invisible especial, que indica la posició de cada casa al món. Per mitjà d'aquest codi, els follets embalen els paquets en lots perquè el Pare Noel els reparteixi. Cada lot s'empaqueta en un sac numerat. Seguidament els sacs numerats es remeten al departament de Transport.

El Pare Noel porta tots els regals dalt del trineu en un sol viatge?

I, si no és així, com pot tenir prou temps per volar des del pol nord i tornar-hi tantes vegades? Un dels secrets més ben guardats del Pare Noel és com se les manega per repartir tots els regals a temps. El cert és que té molts ajudants i ajudantes. Els follets carreguen de regals fins dalt una pila de naus (o transportadors) diferents.

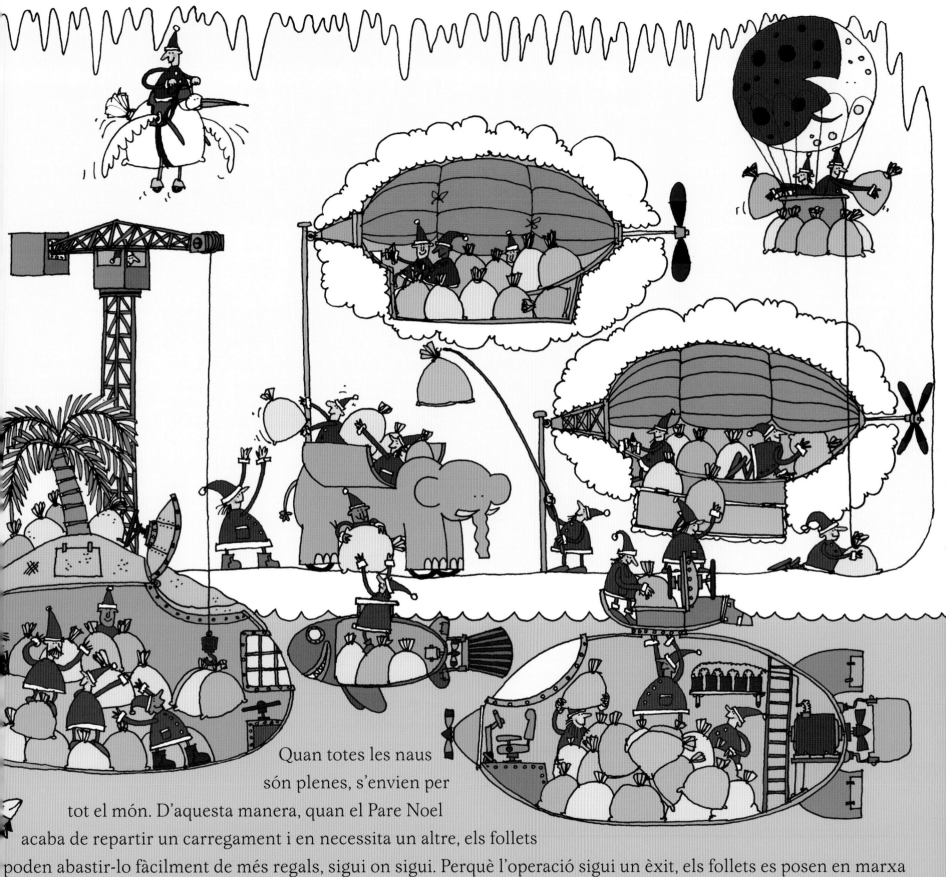

Quan totes les naus
són plenes, s'envien per
tot el món. D'aquesta manera, quan el Pare Noel
acaba de repartir un carregament i en necessita un altre, els follets
poden abastir-lo fàcilment de més regals, sigui on sigui. Perquè l'operació sigui un èxit, els follets es posen en marxa
es quantes setmanes abans de Nadal i les naus es camuflen perquè no puguin ser vistes. Així doncs, si per casualitat
viatgeu en vaixell pel Nadal, tingueu els ulls ben oberts: potser descobriu illes que no surten als mapes!

Els trineus del Pare Noel

Escala **1/60**

El Pare Noel té dos trineus: un per a llargues distàncies i un altre per a les zones més habitades. Els follets del departament de Transport són els que els construeixen i en tenen cura del manteniment.

Trineu de llarg recorregut (per al camp)

Bos d'h

Sac de regals

Pare Noel

Barba

Parabrisa

Follet

Aleró

Bossa d'heli

Bossa d'heli

H post

Dipòsit de combustible

Motor de reacció

Patins del trineu

Ren de flotació

I què passa després?

La nit de Nadal, exactament a les 16.37, el Pare Noel inicia el seu periple pel món.

Comença per l'est i va obrint-se camí fins a l'oest a través de totes les zones horàries.

Gràcies a les naus dels follets, va carregant de regals el trineu a mesura que els reparteix.

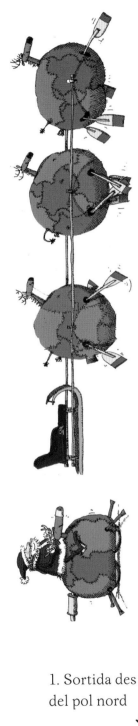

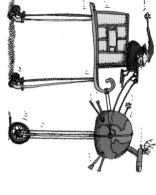

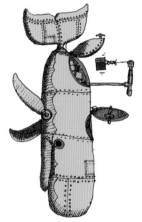

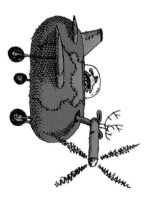

1. Sortida des del pol nord

2. Repartiment de regals

3. Nou abastiment de regals

4. Repartiment de més regals

5. Nova operació d'abastiment i repartiment de regals

Com baixa el Pare Noel per la xemeneia?

Tothom creu que el Pare Noel és molt gras, però el cert és que és força prim. Com que vola a gran altura al ple de l'hivern, duu un vestit amb un sistema de calefacció incorporat per no passar fred. Quan arriba a una casa per repartir-hi els regals, es treu el vestit i s'esmuny per la xemeneia, la porta o la finestra.

El Pare Noel ha de ser molt àgil per poder entrar en algunes cases. Així doncs, durant tot l'any practica molts exercicis d'estirament i flexibilitat, i a més és un gran aficionat a l'alpinisme i al ioga. Cal dir que té una forma esplèndida per l'edat que té.

És fàcil baixar per una xemeneia, però sempre m'acabo embrutant.

Entrar per les finestres és el més difícil.

Cada dia m'he d'entrenar per poder passar per les portes.

A quina hora ve el Pare Noel?

Es difícil concretar l'hora, però podeu estar segurs que apareixerà quan estigueu adormits. El Pare Noel és molt ràpid. Cada casa té assignat un follet, que comprova que tothom dormi. Quan regna la calma, el follet fa un senyal al Pare Noel perquè sàpiga que ja pot repartir els regals sense por que el vegin. El Pare Noel fa la seva feina i en acabat el follet es trasllada a una altra casa.

Què passa si us desperteu?

Com que el Pare Noel vol mantenir en secret que és prim, si per casualitat us desperteu acciona el mecanisme d'emergència i el vestit que porta s'infla d'heli, que pesa menys que l'aire. D'aquesta manera es pot escapolir a gran velocitat per la xemeneia.

Si deixeu unes llaminadures per al Pare Noel i els seus rens, li donareu energia per continuar repartint tots els regals. Però no n'hi poseu massa, perquè si tothom fes el mateix, aviat el Pare Noel quedaria encallat en alguna xemeneia.

El dia de Nadal!

A primera hora del dia de Nadal, el Pare Noel ja posa rumb a casa. Al cap d'unes hores, els nens i nenes es comencen a despertar. De vegades, el Pare Noel deixa petits regals als dormitoris dels infants perquè els obrin tan bon punt es despertin. També té costum de ficar-los en un mitjó, si és que n'heu deixat penjat un per a ell. Li agrada deixar els regals més voluminosos sota l'arbre de Nadal, si n'hi ha cap a la casa. D'aquesta manera tots els membres de la família poden compartir junts el moment d'obrir els regals.

El que els costa més als nens i nenes és esperar que tothom es llevi i estigui a punt per obrir els regals grans. Sovint s'impacienten. Les mares i els pares triguen una eternitat a prendre's el cafè. A més, les tietes s'entesten a repartir elles els regals i, com que són tan velles, ho fan molt, però molt lentament. Tot això està terminantment prohibit.

Després d'haver obert els regals grans, el millor que té el Nadal és jugar-hi. Els nens i nenes que s'han portat bé acostumen a rebre el regal que han demanat, sempre que no sigui massa car o perillós. No es pot dir el mateix dels nens i nenes que s'han portat malament. Abans el Pare Noel duia trossos de carbó als infants que no havien fet bondat. Avui dia ja no acostuma a ser tan estricte, però val la pena portar-se bé...

Perquè mai no se sap què pot passar si no fas bondat...

Què fan el Pare Noel i els follets el dia de Nadal?

Celebren una festa!

I després se'n van al llit...

una estoneta...